Flamsk.   138387 Siv Karlsson
11 —   118634 Barbro Karlsson

FLAMSKVÄVNAD

FLEMISH WEAVING

Historia	Vävteknik
ERNST FISCHER	GERTRUD INGERS
History	Technique

Malmöhus läns Hemslöjdsförening

Fjärde upplagan

ICA-FÖRLAGET

Layout:

Sture Möller

Omslagets färgbild:

Det gamla templet,
komp. av Inga Palmgren.
16,5×19 cm. Arbetsritning nr. 12.

Cover-plate:

The old temple
by Inga Palmgren.
16.5×19 cm. Pattern 12.

Landby & Lundgrens boktryckeri
Malmö 1964

INNEHÅLL

Intresset för flamskvävning har från att tidigare endast ha omfattat Skåne, på senare år spritt sig över hela landet, och även funnit utövare i England och U.S.A. Svårigheterna att finna förebilder lämpliga för nybörjare har varit stora. Malmöhus läns Hemslöjdsförening har därför med mönster ur sina samlingar velat visa dels de gamla vävnaderna i färg och i sin helhet, dels hur man ur dem kan plocka fram detaljer som utgör ett avslutat arbete. För Ica-förlagets räkning har textilkonstnärinnan Inga Palmgren komponerat 5 moderna flamskmönster som bör bli lätta att väva även för den som gör sitt första försök.

Detaljbilder ur de gamla skånska vävnaderna finns som svartbilder sist i boken, och till dem och till Inga Palmgrens vävnader finns arbetsritningar på lösa ark. Arbetsritningarna kan klistras på stadigare papper eller tunnt tyg innan de användes.

Om vävnaderna skall bli bra bör originalfärgerna användas. Garnprov kan mot avgift beställas till varje enskild vävnad och såväl vävstolen som material kan rekvireras direkt eller genom länets hemslöjdsförening.

Att här endast arbetsbeskrivningar till skånska vävnader medtagits beror därpå att man i andra landskap ännu inte tillrättalagt flamskvävningen så som i Skåne. Kan denna bok inspirera till att de original som finns i övriga Sverige åter framtagas, och att moderna textilkonstnärer komponerar nya mönster lämpliga för reproduktion, skulle utgivarna se det som en stor framgång.

Malmöhus läns Hemslöjdsförening

Sängtäcke från Everlöv, vävt 1784. 146×215 cm.
Detalj 30,8×39 cm se bild 22 och arbetsritning 3.

Bed-cover from Everlöv.
Detail, see pl. 22, pattern 3.

Bild 1. Del av bänklängd, Skåne 1675.　Bench-runner.
Malmö Museum nr 29 168.

HISTORIK

av fil. dr. Ernst Fischer

Tekniken att väva flamskt, som termen lyder i gamla tider och inom allmogen ännu i dag, eller i gobeläng, som är det officiella namnet, är icke inhemsk i Sverige. Inga bevis finns för, att man vävt i denna teknik före 1500-talet. I Malmö har man belägg för dylika vävnaders förekomst i borgerliga hem redan 1515. Genom hovräkenskaperna från Gustav Vasas tid vet vi, att vid hovet anställda flamskvävare fanns på 1540-talet och att konungen från Nederländerna inkallade vävare, som skulle förse de kungliga slotten med den textila utstyr, som tidens mod krävde. Tapeter med stora inramade figurscener, vävda av ullgarn och silke med inslag av guld- och silvertråd, täckande väggarna — en ersättning för freskmålningar och ett skydd mot drag och kyla från tjocka stenväggar. Långa dynor på de väggfasta bänkarna, kuddar i ryggen och på stolarna. Av bevarade inventarier vet vi, i vilket antal dylika vävnader fanns på de olika slotten. Vi vet också namnen på de män, som arbetade i de kungliga verkstäderna. Där blandade sig inkallade nederländare och fransmän med svenskar. Bland de senare var en man vid namn Nils Eskilsson, som från lärling steg i graderna, tills han blev föreståndare för en verkstad med många arbetare under sig. Han sändes vid olika tillfällen till Antverpen för att förkovra sig i sin skicklighet i någon av de stora vävateljéerna. Vi har kvar prov på hans konst.

Dessa kungliga verkstäder, som var i gång under 1500-talet och början av 1600-talet, var organiserade som ett gammalt hantverk med en mästare, gesäller och lärlingar, men de bildade aldrig något eget skrå här i Sverige. För att göra det skulle det finnas tre mästare i samma yrke i samma stad. Säkerligen har det aldrig samtidigt funnits så många i någon svensk stad. Och i Stockholm stod de kungliga vävarna som fria konstnärer utanför skråt. Vid denna tid var yrket rekryterat så gott som uteslutande av män, men man har redan tidigt enstaka uppgifter om, att kvinnor började tränga in på detta ursprungliga manliga yrke. Till en början var det vävarnas hustrur, men senare även andra. För Malmö, vars arkivalier genomgåtts, har vi belägg, att en vävaränka var bosatt i ett fattigkvarter 1612—13. Vi har också uppgifter om två flamskväverskor, den ena gift med en spelman från Lund, den andra släkt med framstående konsthantverkare i staden. Den förra var verksam 1598, den andra 1626. Båda vävde i privata hem på beställning. Liksom hemsömmerskor och andra vandrande yrkesmän stannade de hos beställaren till beställningen var fullgjord, vilket i detta fall kunde ta ett halvår eller mera.

De i de kungliga verkstäderna verksamma gesällerna och lärlingarna stannade enligt räkenskaperna ett à två år hos sin mästare, varefter de drog vidare. Vi har på 1500-talet namn på över 50 sådana ännu icke fullärda vävare, varav åtskilliga var svenskar. Man får väl anta, att dessa, när de lämnade Stockholm, drog vidare mot nya marknader. Säkerligen har de kungliga fränderna inom den svenska högadeln följt exemplet från hovet och velat smycka sina slott på samma sätt som kungen. Ett antal tapeter har också bevarats, vilka bevisar detta förhållande.

Först har vi en välvävd tapet med Stenbocks och Leijonhuvuds vapen, som säkerligen utgått ur någon av de kungliga verkstäderna. Sedan har vi en enklare tapet, nu i Jäders kyrka, Axel Oxenstiernas begravningskyrka, och en tapet, också av enklare beskaffenhet, som ännu finns på Torpa slott, Stenbockarnas stamgods i Västergötland. Från trakten kring Torpa finns ett antal tapeter, som kan hänföras till adliga släkter, som haft sina gods i närheten. Det vill alltså synas, som om någon enklare vävare kommit till Gustav Vasas svåger och senare svärfar Gustav Olofsson Stenbock på Torpa och vävt för slottets be-

Bild 2. Bänklängd, Halland.   Bench-runner.

Bild 3. Bänklängd, Marks härad, Västergötland. Nord. Mus. 141769.
Bench-runner.

hov och icke blott tapeter utan även bänklängder, ty den nyss-
nämnda tapeten är lagad med ett stort fragment av en dylik
vävnad. Sannolikt har han stannat kvar i trakten och verksta-
den har fortsatt efter hans död. Så småningom bör förhållan-
dena ha blivit analoga till dem, som utvecklade sig inom lin-
vävarämbetena i Sverige. Vävningen gav icke så stort ekono-
miskt utbyte, att det gav en man möjlighet att försörja hustru
och barn. Den blev mera en bisyssla för kvinnor, som lärt i
en verkstad — en dotter eller en piga. Konsten lärdes så vidare
från mor till dotter och hade därmed övergått från yrkestill-
verkning till hemslöjd.

Var fick nu dessa väverskor sina mönster ifrån? Vi vet att
i de stora flamländska vävateljéerna var särskilda kartongritare
anställda, som efter konstnärers skisser utförde vävförlagorna.
Vi vet också, att vävarna vid Gustav Vasas och hans söners
tapetverkstäder utförde kartonger. Vi vet att linvävarna, när de
som gesäller vandrade från verkstad till verkstad inom och utom
riket medförde en i pergament inbunden bok, i vilken de ritade
in de mönster, som de ansåg sig för framtiden ha bruk av. Sä-
kerligen har på samma sätt de gesäller, som lämnade de kung-
liga verkstäderna medfört mönsterböcker och tecknade förlagor,
som de sedan använde i sin verksamhet. De har förslitits och
omritats, övergått i nya händer och missförståtts, förändrats
och plockats sönder, när de passerat den ena väverskans väv-
stol efter den andras. På så sätt får man den naturligaste för-
klaringen till ett mönsters vandring och uppträdande på skilda
platser, på skilda tider och i skilda formgivningar, vältecknade

11

eller förvanskade, allt beroende på väverskans skicklighet att teckna och att omsätta förlagan i väven. Väverskorna har nämligen icke varit maskiner utan människor med en sådans fel och förtjänster. Men detta medför, att man har svårigheter, för att icke säga saknar möjligheter att avgöra var en vävnad tillverkats inom det nordiska kulturområdet, såvida icke fynduppgifter finns, eller datera den, om icke en säker tradition eller ägarlängd kan framvisas. Man kan icke anlägga typologiska synpunkter på dateringen. Det har nämligen visat sig, att vävnader med ett upplöst och missförstått mönster varit tidigare daterade än andra med samma mönster klart tecknat och återgivet. Allt beror på väverskans egna kvalifikationer.

De vandrande vävarna hade alltså med säkerhet med sig en mönstersamling, när de anlände till en plats och sökte arbete, men även beställarna hade säkerligen mönster eller vävnader, som de önskade eftervävda. I vad mån det på slotten fanns väverskor, som i vävstugorna vävde flamskt, vet vi icke. Möjligt är, att en vandrande vävare kunnat lära upp någon eller några väverskor i en dylik vävstuga, men sannolikt får man räkna med, att 1500-talets flamskvävnad till största delen var yrkestillverkning. I Sverige har vi utanför de kungliga samlingarna ingenting bevarat, utom de få nämnda enkla tapeterna. Under 1600-talet förändras förhållandena något. Yrkesvävnaden fortfar, men har nu kommit i kvinnornas händer. Stora tapeter är icke längre på modet. Man klär väggarna med andra textilier, som kan förvärvas i metervis — siden och sammet. Samtidigt sker en förändring i rumsmöbleringen. De väggfasta bänkarna försvinner och lösa stolar träder i stället. Med detta omslag i möbleringen blev också de långa bänkdynorna omoderna och försvann. Ännu fanns dock lösa dynor på stolarna, men även dessa ersattes med fast stoppning med klädsel. I gammaldags hem var denna ännu av flamskväv, men ersattes snart av samma tyger, som klädde väggarna. I borgerliga kretsar levde emellertid 1500-talets rumsinredning kvar ännu på 1600-talet, ja, långt in på det följande århundradet. Efter 1750 förekom dock inte längre bänklängder eller stolsdynor i flamskvävnader i borgerliga hem. Och därmed saknades också de ekonomiska betingelserna för en yrkesutövning.

Ungefär samtidigt börjar emellertid flamskvävningen att framträda i allmogehemmen. Flamskvävstolar och flamskvävnader blir allt mera allmänna i bouppteckningar efter år 1750 och daterade vävnader av obestridlig allmogekaraktär uppträder också vid denna tid. De vävnader, som finns från 1600-talet och 1700-talets förra hälft har alla en karaktär, som ligger mellan den

*Motställda fåglar. Dyna 40×50 cm. Detalj 15×17 cm, se bild 23 och
arbetsritning nr 16.*
Two birds. Cushion 40×50 cm. Detail 15×17 cm. Pl. 23, pattern 16.

*Trolovningen. Dyna 52×52 cm. Detalj 22,6×32,2 cm, se bild 24 och
arbetsritning 15.*
The betrothal Cushion 52×52 cm. Detail 22.6×32.2 cm. Pl. 24, pattern 15.

Fåglar och krukor
i krans.
Åkdyna 47 x 118 cm.
Detalj 34,8 x 46 cm.
se bild 25 och ar-
betsritning nr 7.
Birds in a wreath.
Cushion 47 x 118 cm.
Detail 34.8 x 46 cm.
Pl. 25, pattern 7.

Bild 4. Bordtäcke dat. 1739. Vävt av Lisa Tobies, f. Rudberg, Jönköping. Tillhör Smålands Museum i Växjö. Tablecloth.

rena yrkesvävnaden och hemslöjden. Den äldsta i Sverige bevarade är från Västergötland och daterad 1649. En längd från samma landskap är daterad 1664. Båda är i mönsterteckningen efterklang efter vältecknade förlagor. De kan vara ättlingar efter Vasatidens vävare i trakten av Torpa, så mycket hellre, som de västgötska vävnaderna i stor utsträckning är funna i de sydöstliga häradena, liksom de många småländska i allmänhet är vävda i Östbo eller Västbo härader. Det vill alltså synas, som om ett område på gränsen mellan Västergötland, Halland och Småland varit ett område, där flamskvävnad bedrivits i ett mycket stort antal gårdar.

I Småland finns dessutom en prästgårdsvävning av största intresse, dels inom en familj Krook i Villstad, dels bland ättlingarna till Kristina Hellman, gift med prosten Johannes Rog-

13

berg i Unnaryd. Båda dessa familjers vävnader står emellertid på en helt annan nivå än allmogetextilerna. De bygger på andra mönster och följer till en viss grad moderiktningarna i tiden. Man har ansett, att kunskapen att väva flamskt från den Krookska prästsläkten överförts till traktens allmoge, när tre döttrar gifte in sig i allmogesläkter.

På Gotland finns bevarade, huvudsakligen i kyrkor, en rad mycket intressanta vävnader, som visa Gotlands internordiska ställning. Vi har ett mönster, som i samma teckning återkommer i Småland och Norge samt i Lüneburg. I en degenererad form även i Skåne. På Gotland har det senare omarbetats till en målmedveten stilisering, där alla detaljerna från det naturalistiskt återgivna mönstret återkommer i stiliserad omformning. Från Gotland har vi även andra vävnader, som utan tvivel direkt sammanhänger med danska vävnader. Detta är ju icke att undra över, då Gotland från 1300-talet till 1645 lydde under danska kronan. Det finns även uppgifter om flamska vävnader i gotländska bostäder och kyrkor samt ett meddelande om en flamskväverska, som på beställning av generalguvernören vävde tapeter, vilka skulle sändas till Stockholm.

Ifrån Svealand och Norrland har vi flamskvävnader bevarade bl. a. från Dalarna en längd med Guds lamm inom en lagerkrans, en yrkesvävnad, daterad 1688, välvävd och av hög kvalitet. Från Jämtland och Hälsingland har vi också märkliga vävnader bevarade. Från det förstnämnda landskapet två stolklädslar från 1763, vilka i sin mönstergivning bygger på förlagor från högreståndas- eller finare yrkesvävning.

Det landskap, som emellertid mer än något annat i Sverige är ett flamskvävande landskap är Skåne. I denna dag är över 700 vävnader bevarade i offentlig och enskild ägo, ett stort antal signerade och daterade. De äldsta från 1750, de yngsta från 1848, men man har fortsatt att väva flamskt för eget bruk in i våra dagar och väver ännu i denna dag sina gamla mönster. Som tidigare nämnts vet vi, att det redan i början av 1500-talet fanns flamskvävnader i borgerliga kretsar i Malmö, att de var på modet in på 1700-talet, men försvann efter århundradets mitt. Vi vet också, att vid samma tid uppträder flamskvävnader och flamskvävstolar i skånska bondgårdar. Det är huvudsakligen inom Torna och Bara härader i närheten av Lund och häradena på Söderslätt, söder om Malmö som flamskvävningen utövas. Inom båda dessa distrikt utvecklar sig en flamsk textilkonst oberoende av varandra. Man skulle gärna vilja sätta detta förhållande i förbindelse med verkstäder i de båda städerna,

14

Bild 5. Herdescen c:a 1760. The shepherd.
Jämtlands läns museum, Östersund.

Bild 6. Lejonborgen, Åkdyna 1783, Skåne.   Lion-castle. Cushion.
Tillhör Hildegard Hansson, Eskilstorp.

men härom kan intet med säkerhet sägas. Man kan endast på-
visa att vissa mönster varit knutna till vissa släkter eller släkt-
kretsar. Den märkligaste av dessa är gästgivarfamiljen i Everlöv,
Per Olsson (f. 1732, d. 1788) och hans hustru Bolla Anders-
dotter (f. 1754, d. 1791) samt deras sex döttrar, av vilka åt-
minstone de tre äldsta var mycket skickliga flamskväverskor.
Generation efter generation har denna släkt vävt dynor och
hyenden ända in i våra dagar och med den strängaste pietet
har den bevarat vävnaderna som klenoder, väl gömda och skyd-
dade i målade brudkistor, endast utlagda till visning och luft-
ning varje vår. Därför har de också bevarat sin gamla kraftiga
färgskala, som nu både tjusar och chockerar. De mönster, som
kommit till användning har dels som på täckena och de långa
bänklängderna varit människor och djur bland tätt strödda
blommor i en svag återglans från Loiredalens tapeter med de
tusen blommorna, dels figurer eller djur inom blom- eller la-
gerkrans: bebådelsen, trolovningen, röda lejonet, hjort och en-
hörning.

Det andra flamskvävnadsområdet i Skåne omfattar de syd-
västligaste häradena. Om det förra området hade sin blomst-
ringstid mot slutet av 1700-talet, hade det senare sin vid århund-
radets mitt. Mönstren, som brukats, är i allmänhet strödda ut

16

över ytan. De mest karaktäristiska är lejonborgen, flankerad av stående s.k. varulalejon, livsträdet med fåglar. Även inom detta område kan man konstatera, att vissa mönster brukats inom en vid släktkrets.

Med industrialismens genombrott skedde inom den skånska flamskvävningen en mycket märkbar förändring. Hemspunnet och hemfärgat garn brukades icke längre. Det ersattes av fabriksvaror. Härigenom sjönk kvaliteten och färgsättningen blev rå och illa samstämd. Mot 1800-talets slut skedde emellertid en förbättring framför allt genom inflytande från Hemslöjdsföreningarna, vilka genom att tillhandahålla lämpliga mönster och goda garner, kunde återuppväcka den gamla känslan för färg och mönster. Konsten att väva flamskt hade aldrig dött ut i Skåne utan även under de ogynnsamma åren levat och stundom tagit sig ganska märkliga uttryck i självskapande och originell ombildning av gamla förlagor. Flamskvävnad har apterats på nya föremål. En fästmö har vävt brudgumshängslen åt sin fästman, en hustru en nattsäck åt sin man, en mor en skolväska åt sin dotter och man har vävt klädsel åt soffor och stolar, som kommit direkt från snickerifabriken. Nu i våra dagar har intresset för flamskvävnad åter tagit sig livliga uttryck i alla de fullbelagda lärokurser som ges och genom besöksfrekvensen på de utställningar av äldre flamskvävnader som anordnas.

A BRIEF SURVEY OF TAPESTRY WEAVING IN SWEDEN

by Dr. Ernst Fischer

The technique of tapestry weaving, as it was called in olden times and still is in country districts to this day, or of Gobelins — the official name —, is not native to Sweden. Indeed, there is nothing to show that this technique was in use prior to the XVIth century. In Malmö we have proof that weavings of this kind existed in well-to-do homes as early as 1515. From the Court ledgers of Gustav Vasa's reign we know that tapestry weavers were employed at the Court in the 1540's, and that the king requisitioned weavers from the Netherlands to provide the royal castles with textile appointments in keeping with the fashions of the period. Large figured tapestries with wide borders, woven in woollen yarn and silk with wefts of gold and silver thread, covered the walls — a substitute for fresco paintings and a protection against the draughts and cold of thick stone walls. Long cushions on the benches stet fixed to the walls, and smaller cushions for the back and on the chairs were customary. Inventories of the period that have been preserved tell their tale of the numerous pieces of weaving that could be seen in various castles. We also know the names of the men working in the royal factories. Here Dutchmen and Frenchmen mingled with Swedes. Among the latter was a certain Nils Eskilsson, who, from being a simple apprentice, became master of a factory with several workers under him. On various occasions he was sent to Antwerp to improve his knowledge in one of the great weaving ateliers. Samples of his craft are still extant.

These royal factories, which were in full swing during the XVIth, and at the beginning of the XVIIth, centuries, were organized on the lines of old handicrafts with a master, journeymen and apprentices. These, however, never formed their own guild here in Sweden. For to do this there would have had to be three masters of the same trade in the same town, and it is quite certain that there never existed so many master-crafts-men at the same time in any one Swedish town. In Stockholm, for instance, the royal weavers plied their trade as independent craftsmen, standing outside the guild. At this time the trade consisted almost exclusively of men, but already fairly early on we learn of isolated cases of women engaged in this origi-nally purely male profession. At the outset these women were generally the weavers' wives, but later others also made their appearance. As regards Malmö, the archives reveal that a wea-ver's widow lived in a poor quarter of the town from 1612—13. We also have details concerning two women tapestry weavers, one married with a fiddler from Lund, the other related to pro-minent craftsmen in the town. The former was active in 1598, the other in 1626. Both weaved to order in private houses. Just as seamstresses and other itinerant craftsmen, they lived in their employer's home until the order was completed, which in this case could last six months or more.

The journeymen and apprentices working in the royal fac-tories stayed, according to the ledgers, one or two years with their master, and then went further afield. We have names in the XVIth century of more than fifty of such not yet fully trained weavers, of whom many were Swedes. We may take it for granted that these men, on leaving the capital, set out for new weaving centres. There is no doubt that kinsmen of the royal house in the Swedish nobility followed the Court example, de-siring to decorate their castles in the same manner as the king. A number of wall-hangings have also been preserved which bear witness to this tendency.

First, we have a finely woven tapestry bearing the arms of Stenbock and Leijonhufvud, which certainly emanates from one of the royal factories. Then we have a simpler tapestry, now in Jäders church, where Axel Oxenstierna was buried, and an-other one, also on simpler lines, which is still to be seen at Torpa castle, the family seat of the Stenbocks in Västergötland. From the district round Torpa there exist a number of tapestries which can be traced to noble families having properties in the neighbourhood. It would also appear that a more simple weaver came to Gustav Vasa's brother-in-law and later father-in-law, Gustav Olofsson Stenbock of Torpa, providing for the require-ments of the castle and weaving not only tapestries but also bench runners, since the above-mentioned tapestry is mended with a large fragment of a weaving of this kind. It is probable that this weaver remained in the district, and that the workshop continued after his death. Gradually conditions must have become similar to those obtaining among the linenweavers in Sweden. For weaving was not sufficiently profitable to enable a man to support a wife and family. It became more of a secondary occupation for women who had learnt the trade in a workshop — for a daughter or a servant-girl. The craft was handed down from mother to daughter, and had thus gone over from a professional manufacture to a handicraft.

Now, from where did these women weavers get their patterns? We know that in the great Flemish weaving ateliers special cartoon draughtsmen were engaged, who executed the cartoons according to the artist's sketches. We also know that the weavers in the tapestry factories of Gustav Vasa and his sons executed cartoons. We also know that the linenweavers, when travelling as journeymen from workshop to workshop within and without the kingdom, took with them a book bound in parchment in which they drew the patterns that they considered would prove useful in the future. In the same manner the journeymen who left the royal factories certainly bore with them books of patterns and cartoons that they had sketched and which they subsequently employed in their trade. These have been worn out and sketched over, passed into other hands and misunderstood, altered and picked to pieces on their way from one loom to another. It is in this process that we find the most natural explanation of a cartoon's wanderings and sudden appearance in different places, at different times and in different forms, well drawn or mutilated, all depending on the weaver's proficiency in drawing and transferring the subject of the cartoon to the weave. For the weavers were not machines but human beings with all the latter's defects and merits. And it is just this that makes it difficult or well nigh impossible to decide where within the Nordic cultural region a piece of weaving has been made — unless definite information exists as to its origin —, or how to date it unless an established tradition or pedigree of ownership can be called upon. We cannot treat dating typologically. For it has been shown that pieces of weaving with a disintegrated and misunderstood pattern are of earlier date than those with the same pattern clearly drawn and correctly rendered. Everything depends on the weaver's own talents.

Thus the itinerant weavers had certainly with them a collection of patterns when they arrived at a place in search of work, but it is also more than likely that the employers had patterns or pieces of weaving which they wanted copied. To what extent there existed in the castles woman weavers, who in

Bänklängd, "Den
innelyckta fågeln"
(avkortad).
Detalj 30 x 41,5 cm,
bild 26 och arbets-
ritning nr 2.
Captive bird.
Detail 30 x 41.5 cm.
Pl. 26, pattern 2.

*Papegojor i krans. Åkdyna 48×104 cm. Detalj 25,3×32 cm, bild 27
och arbetsritning nr 6.*
*Parrots in a wreath. Cushion 48×104 cm. Detail 25.3×32 cm. Pl. 23,
pattern 6.*

the weaving-rooms wove tapestries, is unknown to us. It is possible that an itinerant weaver could have taught one or more weaving women in a weaving-room of this kind, but it is more likely that the tapestry weaving of the XVIth century was for the greater part of professional manufacture. In Sweden, with the exception of the royal collections, we have nothing preserved beyond the few simple tapestries previously mentioned. During the XVIIth century, however, conditions changed somewhat. Professional weaving continued, but had now come into the hands of the women. Large tapestries were no longer in fashion. The walls were hung with other textiles, which could be bought by the yard — silks and velvets. Simultaneously, an alteration in furnishing takes place. The benches, fixed to the walls, disappear, making way for unattached chairs. With this revolution in furnishing, the long bench cushions also became old-fashioned and vanished from the scene. Loose cushions, however, still occupied the chairs although these also were being replaced by fixed upholstery with coverings. In old-fashioned homes these coverings were still of tapestry weave, but were soon replaced by the same stuffs as hung upon the walls. In well-to-do circles, however, XVIth century furnishing remained during the XVIIth century, and indeed well into the following century. Nevertheless, after 1750, there were no longer any bench runners or chair cushions of tapestry weave in wealthy homes. Consequently, the economic pre-requisites for a professional calling were absent.

At about the same time, however, tapestry weaving begins to appear in cottage homes. Vertical looms and pieces of tapestry weaving become more and more common in inventories subsequent to 1750, and dated weavings of indisputably popular character also begin to be seen at this time. The pieces of weaving that exist from the XVIIth century and the first half of the XVIIIth century are all of a character that lies somewhere between the purely professional weaving and handicraft. The oldest of those preserved in Sweden is from Västergötland, being dated 1649. A bench-runner from the same province is dated 1664. Both, as regards pattern design, recall well-drawn cartoons. They can have been executed by descendants of weavers of the Vasa period in the region of Torpa, all the more as the Västergötland weavings are to a great extent found in the south-eastern districts just as those from the province of Småland are generally woven in the Östbo and Västbo districts. Thus it would seem as though a region on the borderline between Västergötland, Halland and Småland has contributed a centre where tapestry weaving was pursued in a very large number of farms.

In Småland, moreover, there exists a vicarage weaving, which is of the greatest interest. It was carried on partly by the Krook family in Villstad, and partly by the descendants of one Kristina Hellman, married with Johannes Rogberg, vicar of Unnaryd. The weavings of both these families, however, are on an entirely different level to the country textiles. They are built on other patterns and follow to a certain degree the fashion tendencies of the period. It has been supposed that the knowledge of how to do tapestry weaving as exemplified in the Krook family of clergymen was transmitted to the peasants of the district when three Krook daughters married into peasant stock.

On the island of Gotland are preserved, mainly in churches, a series of highly interesting pieces of weaving, which reveal Gotland's inter-Nordic position. We have a pattern, which in the same design, recurs in Småland and Norway as well as in Lüneburg. Also in Scania, but in a degenerated form. In Gotland, the latter has been revised into an intentional stylisation, in which all the details from the naturalistically rendered pattern recur in the stylised reconstruction. From Gotland we have other examples of weaving which without any doubt are directly connected with Danish weaving. This of course is not to be wondered at, since Gotland from the XIVth century up to 1645 owed allegiance to the Danish crown. There is also information concerning tapestry weaving in the Gotland homes and churches as well as a communication about a woman tapestry weaver who, at the order of the governor-general, wove tapestries for further despatch to Stockholm.

From Svealand and Norrland, tapestry weavings have been preserved from, among other places, Dalecarlia — a runner with God's lamb framed in a laurel wreath, a professional piece of weaving, dated 1688, finely woven and of high quality. From Jämtland and Hälsingland, remarkable weavings have also been preserved. From the former province, we also have two chair covers from 1763, which, in their pattern rendering, build on cartoons from the nobility or the finer professional weaving.

The province, however, which, more than any other in Sweden, may be called a centre of tapestry weaving, is Scania. To this day more than seven hundred woven pieces are preserved in public and private ownership, of which a great number are signed and dated. The oldest from 1750, the most recent from 1848, although one has continued to execute tapestry weaving down to the present time; and to this very day the old patterns are still being woven.

As previously mentioned, we know that as early as the beginning of the XVIth century tapestry weavings existed in well-to-do circles in Malmö, that they were in fashion well into the XVIIIth century, but disappeared after the middle of the century. We also know that at the same time tapestry weavings and upright looms appear in Scanian farms. It is mainly in the Torna and Bara districts in the neighbourhood of Lund and in the districts of Söderslätt, south of Malmö, that tapestry weaving is still pursued. In both these districts a tapestry textile art is developing independently of one another. It is tempting to connect this circumstance with the workshops in both towns, but of this nothing can be said with any certainty. We can only state that certain patterns were linked with certain families or family circles. Of these the most remarkable is the innkeeper's family of Everlöv, Per Olsson (b. 1732, d. 1788) and his wife, Bolla Andersdotter (b. 1754, d. 1791) and their six daughters, of whom at least the three eldest were very skilful tapestry weavers. For generation after generation this family has woven a variety of cushions down to the present day, and in the strictest piety have preserved these woven pieces as treasures, well hidden and protected in painted wedding chests, only to be exhibited and aired in the spring. It is thus that they have retained their original, striking range of colour, which in our day both enchants and repels. The patterns used are partly, as on the bedspreads and long bench runners, human figures and animals among thickly strewn flowers — a faint echo of the Loire valley tapestries with the thousand flowers —, and partly figures or animals within flower or laurel wreaths: the Annunciation, betrothal, red lion, stag and unicorn.

The other tapestry-weaving region in Scania embraces the southwestern districts. If the former region enjoyed its period of prosperity towards the close of the XVIIIth century, the latter experienced it in the middle of the century. The patterns in use are generally strewn out over the surface. The most characteristic of these are the lion castle, supported by rampant, so-called varula-lions, and the tree of life with birds. In this region, also, we can establish that certain patterns are used within a wide family circle.

With the break-through of industrialism a very remarkable change took place in Scanian tapestry weaving. Homespun and home-dyed yarns were no longer employed. Factory products took their place. On account of this the quality deteriorated, and the colour composition became harsh and badly matched. Towards the end of the XIXth century, however, an improvement took place, above all by reason of the influence exerted by the Handicraft Associations, which, by providing suitable patterns and good quality yarns, were able to revive the old feeling for colour and pattern. The art of tapestry weaving never died out in Scania but survived even during the most difficult years, at times displaying a remarkable talent for original creation and reconstruction of old cartoons. Tapestry weaving has how been adapted for new objects. A girl has woven a bridgeroom's braces for her true love; a wife, a travelling bag for her husband; a mother, a satchel for her daughter; and covers have been woven for sofas and chairs that have come straight from the furniture factories. Today, the interest in tapestry weaving has taken a new lease of life, as seen in the crowded courses in weaving and the ever-increasing number of visitors to exhibitions of older tapestry weavings that are now arranged.

*Blå enhörning och papegoja. Åkdyna 50 x 107 cm. Detalj 39,5 x 30 cm,
bild 28 och arbetsritning nr 1.
Blue unicorn. Cushion 50 x 107 cm. Detail 39,5 x 30 cm. Pl. 28, pattern 1.*

Rosor i vinblad. Åkdyna 50x100 cm. Arbetsritning i helt format kan beställas.
Roses and wine leaves. Cushion 50x100 cm. Pattern can be ordered.

Bild 7. Upprättstående flamskvävstol av traditionell typ.
Traditional loom.

VÄVTEKNIK

Vävstolar

Flamskvävningen sker av ålder i en upprättstående vävstol och de bevarade svenska vävstolarna visar mycket få variationer. På senare år har en mindre vävram med stift upptill och nedtill, kring vilka varpen sträcks, blivit det vanligaste redskapet för nybörjare. Denna vävram blir billig, och de vävnader som görs i en sådan skiljer sig på intet sätt från dem som utföres i en stor flamskvävstol. Man kan dock endast utföra vävnader av mindre format i en vävram, då man inte har många möjligheter att sträcka slappa trådar.

Vävstolen

Den i Skåne mest använda vävstolstypen, se bild 7 och 8, består av två höga sidostöd, a, vilka hållas samman av den nedre tvärbommen, b, samt vävbommen c, vilken bör vara försedd med en skåra för varpkäppen, och av den övre bommen, d. I den övre bommen finnes hål för varp-pinnarna, e, vilka bör sitta med 5 à 6 cm. mellanrum. Vävbommen avslutas med ett kugghjul, f, vilket fästes med en spärrhake. På sidostödens övre del sitter två klotsar, g, vilka fästes med en gängad skruv så att de äro flyttbara uppåt och nedåt. Klotsarna fasthåller solvstången, h. Två runda skälkäppar samt en flat vävsticka och ett 20-tal garnpinnar med fördjupning för uppnystning av garnet hör också till vävutrustningen.

Uppsättning av varpen

I allmänhet begagnar man sig av en linnevarp med en täthet av 45—50 trådar pr 10 cm., men detta beror i varje enskilt fall på vad som skall vävas. Då de flesta flamskvävnader som här är avbildade vävts i denna kvalité utgår beskrivningen därifrån.

26

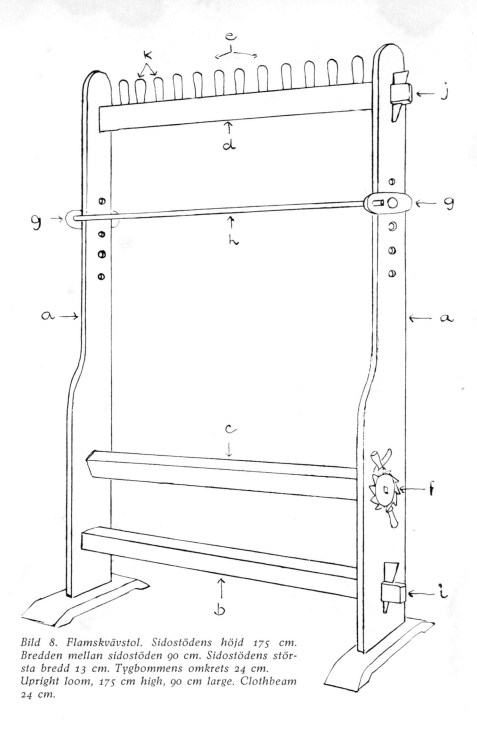

Bild 8. Flamskvävstol. Sidostödens höjd 175 cm.
Bredden mellan sidostöden 90 cm. Sidostödens stör-
sta bredd 13 cm. Tygbommens omkrets 24 cm.
Upright loom, 175 cm high, 90 cm large. Clothbeam
24 cm.

Bild 9. Varpning på vävstolen.
Observera skälet mellan de två pinnarna.
Making the warp on the loom. The cross is between the pegs.

Lejon i krans. Åkdyna 50 x 107 cm. Detalj 14,5 x 18,4 cm, bild 29 och arbetsritning nr 10.
Lion in a wreath. Cushion 50 x 107 cm. Detail 14.5 x 18.4 cm. Pl. 29, pattern 10.

Röd enhörning. Dyna 45×50 cm. Arbetsritning i helt format kan beställas.
Red unicorn. Cushion 45×50 cm. Pattern can be ordered.

Bebådelse i krans. Dyna 52×52 cm. Detalj 14,6×18,4 cm, bild 30, arbetsritning nr 17.
Annunciation. Cushion 52×52 cm. Detail 14,6×18,4 cm. Pl. 30, pattern 17.

Till varp användes tvinnat lingarn 28/3 eller 28/4 av högsta kvalité. Varpen utsättes vid vävningen för stark nötning och sekunda garn kan därför aldrig användas. Multiplicera bredden på det mönster som skall vävas med 5, det blir då det antal trådar som skall varpas. Till en vävnad 50 cm bred varpar man alltså 50×5 trådar = 250 trådar.

En van väverska kan lägga upp varp till flera vävnader samtidigt, men eljest är det klokast att endast lägga upp så mycket som behövs till ett mönster. Varplängden beräknas så här: vävnadens längd + återstående längden upp till övre bommen + cirka 50 cm. att knyta med. Man kan använda en vanlig varpstol eller varpa direkt på vävstolen. Man använder *endast en tråd* vid varpningen och lägger skälet som vid vanlig varpning. Vid varpning direkt på vävstolen tillgår det så här: Fäst garnet nere vid tappen *i* eller vid kugghjulet *f,* för det bakom bommen vid *j,* fram igen framför pinnarna och lägg skälet mellan pinnarna vid *k.* Observera att garnet här bör korsas mellan två pinnar. Se bild 9.

När man varpat erforderligt antal trådar binder man för skälet och tar försiktigt loss varpen utan att trassla till den. Den ena runda skälkäppen trädes in i det nedersta skälet och den andra runda käppen i det andra skälet, och käpparna bindes samman i ändarna så att garnet ej kan halka utanför. Varpen fördelas därefter så jämnt som möjligt på den önskade bredden (här 50 cm.) och den nedre käppen med garnet lägges ner i den härför avsedda skåran i vävbommen och bindes fast, dock ej hårdare än att trådarna vid behov kan föras fram och tillbaka. *Knuten* måste dock vara en riktig råbandsknop. Skulle någon skåra ej finnas i vävbommen får man binda käppen fast ändå. Den andra käppen fästes i båda sidostöden och varpen lägges upp över den översta bommen, där den fördelas med ungefär lika många trådar på varppinnarna. Varpen skall stå mitt i vävstolen, så att om vävstolen är 1 m. bred och varpen 50 cm bred lämnar man 25 cm i varje sida både uppe och nere. Skulle pinnarna vara så placerade att avståndet upptill ej stämmer med avståndet nedtill är det bättre att låta varpen bli bredare upptill. De överflödiga varppinnarna kan plockas bort.

När man fördelat varpen jämnt på varppinnarna försöker man sträcka trådarna riktigt hårt, och måste då fästa käppen på vävbommen riktigt stadigt på ytterligare 2 à 3 ställen, eljest slår den upp som en sprättbåge. Den skall hela tiden ligga ordentligt ner i skåran. Knuten kring pinnen kan göras på flera sätt, målet är att hela varpen skall vara lika jämnt spänd och

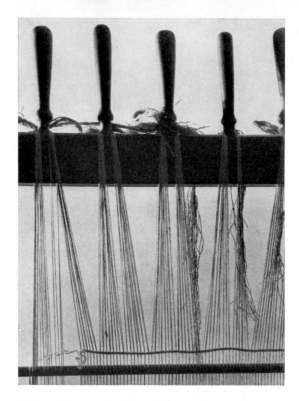

Bild 10. Varpen uppknuten.
The warp tied to the pegs.

ge ett klingande ljud ifrån sig när man drar med fingret över den. Bästa sättet är att slå en ögla på garnlänken i höjd med pinnens fäste i bommen, sticka ner pinnen mitt i trådarna och *bända* ner den i hålet. Går det för lätt blir trådarna ej tillräckligt spända. Bild 10. — Man kunde också tänka sig att som vid vävning av större bildvävnader knyta stora tyngder i varje trådgrupp, men det blir onödigt dyrbart och klumpigt när man använder en mindre vävstol.

30

I en vävstol med liggande varp håller skeden alla trådarna på jämnt avstånd från varandra, men i en vävstol med stående varp gör kedjegången samma verkan. Man lägger två kedjegångar, en cirka 10 cm ovanför vävbommen, en cirka 15 cm under övre bommen. (Detta avstånd beror också på hur stor sak man skall väva, för mindre föremål kan den läggas längre ner.) Till kedjan användes ett ganska grovt garn, lämpligen fiskgarn 12/6, vilket om det nystas dubbelt ger lagom avstånd mellan varptrådarna.

Garnet fästes i sidostödet i samma höjd som man vill lägga kedjan, 5 à 10 cm över vävbommen. Varptrådarna stå nu parvis en framför och en bakom skälkäppen, och fiskgarnet lägges i en ögla — kring det första trådparet, se bild 11 och en ögla drages genom denna, precis som när man virkar en luftmaska.

Bild 11.

Bild 12.

Bild 12. Den nya öglan lägges kring nästa trådpar o. s. v. tills alla trådparen äro "invirkade"; då man drar tråden genom sista öglan och spänner den fast i det andra sidostycket. Under arbetets gång måste man oupphörligen kontrollera tätheten med *sträckt* kedja så att man har 24 à 25 par trådar på 10 cm, eller 12 pr 5 cm. Blir varpen tätare kan inslaget ej täcka den, blir den glesare får man ej ut mönstrets smådetaljer. Hela vävnadens kvalité beror i hög grad på att kedjegången lägges väl, och det lönar sig att ta upp den och börja om igen tills man fått exakt samma täthet över hela bredden. Varpen bör när kedjegången är lagd vara högst 1 cm. bredare än den vävnad som skall tillverkas.

Sedan första kedjan är lagd lägger man ännu en kedjegång ovanför den andra skälkäppen, cirka 15 cm från bommen d. Öglorna i denna kedja skall omsluta samma trådpar som i nedre kedjan, och trådarna skall stå lodrät i vävstolen. Lättast är att ta fatt på trådparet i nedre kedjegången och följa trådarna uppåt och lägga den nya öglan kring dem. Början och slutet av kedjan skall stå exakt ovanför början och slutet av första kedjegången.

32

Vaggtäcke från Everlöv. 82×84 cm. Detalj 14,5×19,5 cm, bild 31, arbetsritning 9.
Cradle spread. 82×84 cm. Detail 14,5×19,5 cm. Pl. 31, pattern 9

Blomsterurna med par och fåglar. Dyna 48x52 cm. Detalj 31,5x39,7 cm, bild 32, arbetsritning nr 8.
Flowerpot. Cushion 48x52 cm. Detail 31.5x39.7 cm. Pl. 32, pattern 8.

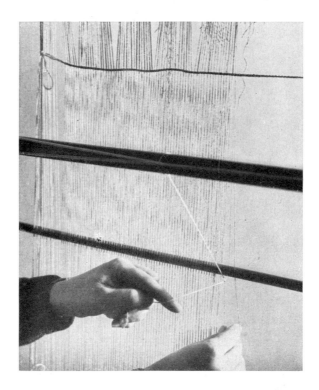

Bild 13. Den första tråden föres till höger och garnet lägges i en slinga omkring den varptråd som är bakom skälkäppen, och under denna.

Take the first thread to right and place the yarn in a sling round the warp thread which is behind the shed stick, and below it.

Solvningen

Solvningen är det omständligaste arbetet, även om kedjegången är viktigare för vävnadens utseende och kvalité.

Först spänner man några trådar av fiskgarnet, 6 à 8 st., längs solvstången h mellan klotsarna g. Skälkäppen fästes därefter cirka 15 cm. under solvstångens höjd och fixeras så att den ej kan flyttas uppåt eller nedåt. Solvningen sker lättast om man gör valnötstora nystan av fiskgarnet. Garnet fästes kring stången mitt för varpen i högra sidan. Avsikten är nu att dra en slinga kring varje enskild varptråd som sitter *bakom* skälkäppen, och

33

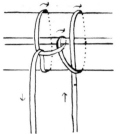

Fig. 1.
Langettstygn
kring solvstången.
Blanket stitch round
heddle stick.

lämna en tråd av de som sitter *framför* skälkäppen mellan varje slinga. Det betyder alltså att av varje trådpar skall en tråd vara fri framför skälkäppen och den andra, som sitter bakom skälkäppen sitta i en trådslinga, med vilken den kan dragas framåt. Slingan eller solven måste emellertid fästas så att den ej blir längre eller kortare när man drar i bredvid sittande solv, och den måste därför fästas vid solvstången med ett eller flera langettliknande stygn. Om man glömmer att lämna en tråd mellan solven eller lämnar två trådar bredvid varandra uppstår ett fel som ej kan rättas till utan att hela solvningen göres om. Den måste därför ske så metodiskt att den till slut sker helt mekaniskt.

För den första tråden som sitter *framför* skälkäppen åt höger. Stick in nystanet till *höger* om den första varptråden som sitter *bakom* skälkäppen, låt nystanet gå bakom tråden *nedanför* skälkäppen, fram till vänster om tråden, slå ett langettstygn om solvstången och de sex trådarna som löper längs den, därefter ett stygn enbart kring trådarna och därefter ett langettstygn om solvstången. Se bild 13, 14 och fig. 1.

För den andra varptråden som sitter framför skälkäppen åt höger, för nystanet ner kring den andra varptråden bakom skälkäppen, runt solvstången, ett stygn kring trådarna, ett runt solvstången o. s. v. Fortsätt på samma sätt längs hela bredden, men var ytterligt noga med att först föra den tråd som sitter *framför* skälkäppen åt höger innan solven lägges runt den bakomsittande tråden i samma trådpar. — När solvningen är färdig lossas skälkäppen och föres upp i höjd med solvstången. Solvens slinga kommer då att sitta 12 à 15 cm lägre ned, vilket är nödvändigt för att man med slingorna skall kunna dra fram ett skäl.

34

Bild 14.

Därmed är förberedelserna avslutade och det gäller endast att än en gång spänna varptrådarna så att de alla stå lika spända och ge ett ljud ifrån sig ungefär som ett stränginstrument. Kontrollera genom att hänga en vikt el. dyl. i ett snöre från en av varppinnarna, att varpen står alldeles lodrät i vävstolen, och i varje fall *inte är smalare upptill än nertill* ty då blir vävnaden ofrånkomligen sned. Möjligtvis kan den få vara 1 cm bredare upptill i var sida. Bäst är det om den är lika bred, men pinnarnas placering kan ibland göra detta omöjligt.

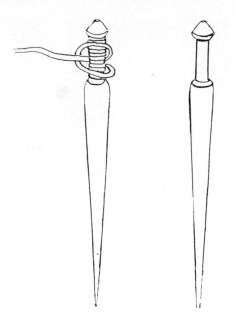

Fig. 2.

Vävningen

Garnet nystas upp på pinnarna fig. 2. och fästes med en ränn-snara. Med lingarn eller ullgarn väves en liten kant tvärsöver varpen i vilken mönstret fästes. Mönstret ritas på kalkérväv eller tunn kartong. Årtal och monogram ritas *avigvänt,* ty mönstret blir spegelvänt i väven. Se till att varpen är lika bred som mönstret, tag bort överflödiga varptrådar. Mönstret *väves i sid-led* och placeras bakom varpen, avigsidan av väven får man alltså emot sig. (Stundom praktiseras den metoden att mönstrets konturer med bläck eller tusch ritas upp på varpen, men i skånsk flamskvävnad användes den ej.) Pappersmönstret fästes med knappnålar eller tråcklas fast i begynnelsebården. Kontrollera att det kommer vinkelrät i vävstolen.

Det ena skälet bildas helt enkelt genom den skälkäpp som är instucken i varpen. Är den smal kan man vrida den på tvä-ren. Det andra skälet uppstår genom att man med vänster hands pekfinger och långfinger trycker ner solven just där man vill väva, sticker in ringfingret i det skäl man då får, och med hö-ger hand för in garnpinnen i skälet. Inslaget lägges i *små bågar* och med spetsen av pinnen för man det nedåt och packar det

Bild 15.

så fast som möjligt. Om inslaget lägges stramt eller snålt kommer varptrådarna mycket snabbt att dragas ihop och det blir omöjligt att täcka varpen. Inslaget skall alltså läggas löst utan att det blir bubblor, och man lär sig snart att få ytan jämn och fast.

Som förut sagts fästes mönstret i sidled och figurerna väves i liggande riktning. Om vävnaden har bård eller slät yta att börja med måste denna delas upp i sektioner som väves efter varandra, ty om man låter samma inslagstråd gå tvärs över hela varpen, kommer den obevekligen att dra tillsammans väven hårdare än de delar som av mönstret blir uppdelat i småpartier.

Vanligtvis kan man börja väva på flera ställen på mönstret, men bottenfärgen måste först fyllas i under en blomma el. figur med svängd kontur. Denna blomma eller figur kan sällan avslutas direkt, utan en annan färg ingriper — snart ser man att underliggande partier först måste vävas. Se bild 15. En rundad linje som på fig. 3 får ej vävas hel från vänster till höger eller tvärtom, utan man börjar i bottnen vid x och väver fram och

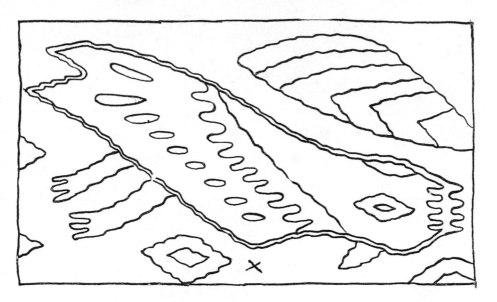

Fig. 3. Det svarta bottengarnet lägges först under de rundade linjerna.
First place the black background colour under the curved lines.

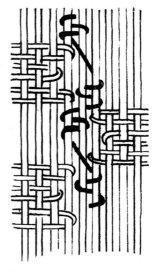

Fig. 4.

Fig. 5.

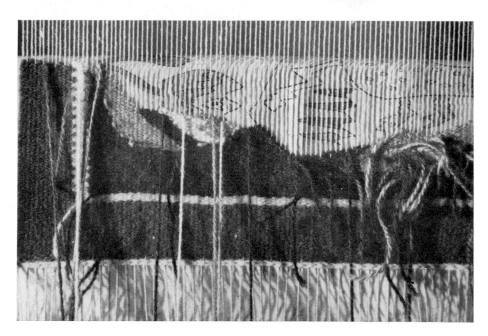

Bild 16. När bottnen lagts under fylles figuren i.
When the background is ready, fill in the pattern.

tillbaka en eller två gånger, så mycket som erfordras för linjens tjocklek, åt ena hållet tills man nått upp till linjens ena slutpunkt, och sedan får man börja i bottnen igen och väva åt andra hållet. Därefter kan figuren fyllas som bild 16.

Genom att man väver i sidled undviker man i regel en massa raka vertikallinjer, men helt kan de ej undgås. I vissa bildvävnader gör man så att man helt enkelt vänder när man har en rak linje, men i flamskvävnad brukar man använda sig av en sammanfogning av linjerna som kallas tandning. Alla linjer som gå längs varpriktningen får då ett sågtandat utseende som är karaktäristiskt för Skånes flamskvävnader.

Sammanfogningen sker i allmänhet så här: när två färger, t. ex. grönt och svart skall sammanfogas vertikalt utser man en tråd som gemensam för båda färgfälten. Den kallas här för a. Nu väver man tre gånger med varje färg, börjar t. ex. med svart, vänder första gången om tråden a, andra gången om tråden c, tredje gången om tråden a. Därefter väver man med det gröna garnet, vänder första gången om tråden a, andra gången om tråden b, och tredje gången om tråden a. Alltså en lång, en

Bild 17.

kort och en lång vändning. På bilden fig. 4 ser det ut som om det skulle bildas höga mellanrum mellan dessa "tänder", men i verkligheten tryckas de samman som på bild 16 och 17.

— Om två eller flera linjer löper vertikalt måste man förfara likadant med alla, vilket är ganska tidsödande. Är det en mycket liten smal vit konturkant som skiljer två färgfält, t. ex. svart bottenfärg och en röd blomma åt, måste man tanda den över tre varptrådar som fig. 5 och bild 16 visar. Smalare effekt kan ej åstadkommas i vertikal riktning. I horisontalriktningen föreligger i allmänhet inga svårigheter. En lustig effekt kan man åstadkomma genom färgomkastning och "tveskyttling" vilket ibland förekommer i dräktdetaljer, fågelvingar o. d. På bild 18 har man först vävt varannan tråd röd, varannan vit, och får mönstret att bli rutigt genom att vid omskiftning slå in den ena färgen två gånger. (Fågelns stjärt.)

Under hela vävningen måste man noga tillse att kanterna ej dragas in, eventuellt kan man flytta varpen något utåt uppe vid pinnarna eller med en stark tråd sträcka sidorna intill trä-

40

Blomsterdyna från Everlöv, 50×98 cm. Arbetsritning i helt format kan beställas.
Flowers from Everlöv. Cushion 50×98 cm. Pattern can be ordered.

Papegojor och träd. Åkdyna från Bara härad, 55 × 95 cm. Arbetsritning i full skala kan beställas.
Parrots and trees. Cushion from Bara, 55 × 95 cm. Pattern can be ordered.

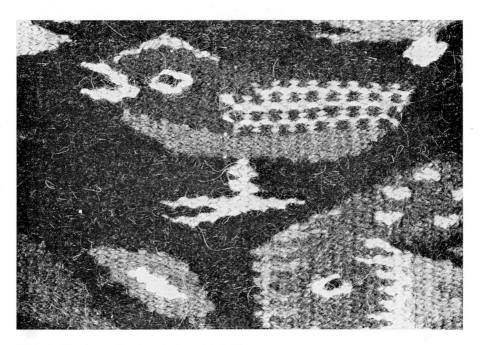

Bild 18. Fågelns stjärt är vävd med två färger.
The bird's tail is woven in two colours.

ramen. När man vävt så mycket att det ej längre blir bekvämt att nå upp till väven, lossas garnet vid alla varppinnarna, mönstret tråcklas fast en bit upp på väven och lossas vid nedre kanten, och väven rullas på vävbommen, varefter varpen åter sträckas. Se till att den färdiga väven ej kommer att ligga mot några hårda knutar och snören, tunna vävspröt eller kartong lägges emellan. Än en gång påpekas nödvändigheten av att alla trådar sträckas så hårt som möjligt ty eljest blir vävnaden ojämn. När man en längre stund arbetat på samma varptrådar slappas de lätt, och måste spännas om. Vävningen går då mycket fortare och lättare än när trådarna äro slappa.

Materialet

I de gamla flamskvävnaderna är varpen handspunnet lingarn, i regel högertvinnat, och inslaget är av handspunnet, växtfärgat ullgarn, vilket oftast är tvinnat, d. v. s. tvåtrådigt. Någon gång finner man enkelspunnet garn, och människofigurernas hår är ofta vävt med silke och ibland med riktigt kvinnohår. Man vet

41

inte mycket om vilka får ullen kom ifrån, men det är den långa glänsande täckhårsullen som ännu i dag ger vävnaderna en spänstig och glänsande yta.

När man på 1900-talets början återupplivade flamskvävningen i Skåne hade man inga handspunna garner att tillgå, och för att få färgen så lik den i regel blekta framsidan, som man då tyckte var vackrast, blandade man tre trådar enkelt ullgarn, av en ganska obestämbar kvalitet.

Nu strävar man efter att få fram originalens ursprungliga färger och att få ett garn som så mycket som möjligt liknar det handspunna både vad beträffar ullmaterial, färgning och spinning. När vävsättet är så långsamt och därmed dyrbart, som vid flamskvävning, måste ju garnet ha högsta möjliga kvalitet, och då garnåtgången är ringa spelar priset en underordnad roll.

Det var först mot slutet av 1920-talet som man inom hemslöjden fick klart för sig att det allra viktigaste vid handvävningen var ullens beskaffenhet. Det är tack vare ingeniör Lennart Wåhlstedts i Dalarna arbete med det svenska lantrasfåret som vi från Wåhlstedts textilverkstad, som nu drives av textilingeniör Lasse Wåhlstedt, kan få gobelingarner så nära idealet som möjligt.

Det är endast den rena och oskadade höstullen som duger till gobelingarn. Efter tvättning i mjukt älv-vatten kardas och spinnes ullen på specialmaskiner, där täckhårsullen kan spinnas utan nämnvärd inblandning av den mattare mjukullen. Garnet skall vara så "pärligt" som möjligt i tvinningen, därigenom får vävnaden mera liv. Men fortfarande vore det vackrast att använda handspunnet garn!

Tyvärr har senare tiders forskning visat att växtfärgningen ej är så säker som man velat tro, även om den "bleknar vackert". Man övergår därför till modernare färgmetoder, och gobelingarnerna *kypfärgas,* en metod som ger vackra färger med rik nyansering och goda äkthetsgrader i såväl ljus- som tvätthänseende. Detta färgningssätt kommer att under den närmaste tiden upptagas av textil-skolorna, ty man kan även färga mycket små garnpartier på det sättet. Garnet bör därefter malbehandlas.

Vid kopieringen av gamla vävnader bör man inte ändra färgerna, vävnaden förlorar då sin karaktär. Enligt den nya lagen om upphovsrätt är det inte heller tillåtet att ändra ritning eller färger på nya mönster. Den som vill göra något efter sitt eget huvud bör då hellre först skaffa sig erfarenhet genom att väva efter ett givet mönster, och därefter själv rita ett helt nytt sådant man vill ha det.

42

Bild 19. Modern ramväv i arbete.
Modern frame-weaving.

FLAMSKVÄVNING I LITEN RAMVÄV

Den stora flamskvävstolen blir med nödvändighet ganska dyrbar, och om man vill pröva sig fram med en mindre vävstol innan man skaffar den större, går det utmärkt bra att väva såväl flamskvävnad som rölakan och annan plockväv i en stadig träram. Bild 19 och 21.

För flamskvävning finns en sådan i storlek 40×60 cm. På kortändarna är inslagen en rad stift i täthet som passar för varptäthet 45 tr pr 10 cm. Man varpar då med en tråd från stiftet i ena ändan av ramen till stiftet i andra ändan tills man får lämpligt antal trådar. Nedtill lägger man en kedja av fiskgarn precis som i den stora vävstolen, men den övre kedjan och solvningen får man undvara. Därefter plockar man upp varannan tråd på en vävsticka, så att man får det ena skälet. Det andra skälet får man plocka med fingrarna medan man väver.

Till ramen hör ett par "fötter" och vävstolen kan stå upprätt som å bild 21, eller ligga som på bild 19. Man väver sedan precis som i den stora vävstolen. Olägenheten är ju att man inte kan spänna de varptrådar som bli slappa, men i en så kort varp brukar det inte bli svårt ändå.

Avslutning och montering av vävnaderna

De gamla flamskvävnaderna användes som bänk- och stolsdynor, som sängtäcken och vaggtäcken. Numera fästes de som en bonad på väggen eller lägges på ett bord. Ursprungligen var fransen aldrig synlig, det blev modernt först på 1900-talets början. En knuten linnefrans förstörs emellertid ganska snabbt, den torkar, gulnar, tvinnas upp och slites bort även när föremålet sitter mot en vägg.

Marskrokus. Komp. av Inga Palmgren. 11,5×15,5 cm. Arbetsritning nr
March crocus. Pattern

Vackrare blir det att göra en fast knuten kant och fästa in varptrådarna mot baksidan.

Lägg vävnaden på bordet med rätsidan uppåt, och spänn en eller två varptrådar framför vävnaden som bild 20 visar. Tag första varptråden till höger och slå två halvslag (= langett-stygn) omkring den hårt spända tråden. För knuten så tätt intill vävnadens kant som möjligt. Fortsätt så med varje varp-tråd tills kanten är färdig. Böj de lösa varpändarna mot bak-sidan och sy ner dem med efterstygn så osynligt som möjligt. På stora vävnader blir det vackrast att sy ett vävt band över.

Den färdiga vävnaden bör inte pressas med järn, men om den är ojämn kan man spänna den trådrakt på ett bord, ett ritbräde el. dyl. med rostfria häftstift och lägga över först en våt duk, därefter torra handdukar eller en strykfilt och sist en slät tyngd. Tag bort dukarna nästa dag och låt vävnaden torka helt innan den lösgöres.

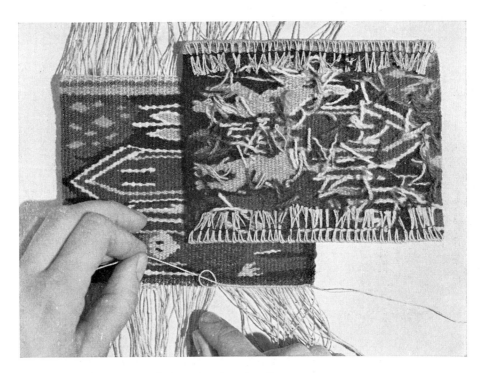

Bild 20 visar hur man avslutar vävnadens kant.
Finishing the weaving's edge.

iskar. Komp. av Inga Palmgren. 14 x 19,5 cm. Arbetsritning nr 14.
ishes. Pattern 14.

LOOMS

Tapestry weaving has always been performed on an upright loom, and the old Swedish looms that have been preserved show very little variation. In more recent years a smaller weaving frame, with pins at top and bottom round which the warp is stretched, has been usually selected for beginners. This type of loom is inexpensive, and the weavings made on them are indistinguishable from those made on the large tapestry-loom. Only small-size weavings, however, can be made on a weaving frame as the possibilities of stretching loose threads are but few.

Loom

The type of loom most usually found in Scania, see Plate 7 and 8, consists of two high uprights, a, which are held together by the lower cross beam, b, and the cloth warp beam, c, which should be fitted with a slot for the warp stick, and of the upper beam, d. In the upper beam are holes for the warp pegs, e, which should be spaced at intervals of 5 to 6 cm. At the end of the cloth warp beam is fitted a ratchet wheel, f. On the upper part of the upright are two blocks, g, which are fastened by a threaded screw so that they can be moved up and down. The blocks hold the heddle stick, h. Two round shed sticks, a batten, and 20 or so bobbins, recessed for winding up the yarn, also belong to the weaving equipment.

Dressing the warp

A linen warp with a density of 45—50 threads per 10 cm. is most generally used, but this in each case depends on what is to be woven. As the majority of tapestry weaves illustrated here are woven in this quality the description follows this type.

46

As warp a linen ply-yarn 28/3 or 28/4 of the highest quality is used. In the course of weaving the warp is exposed to severe wear and tear, and consequently a second-class quality of yarn can never be used. By multiplying the width of the pattern to be woven by 5, the number of threads to be warped will then be obtained. Thus, for a weave of 50 cm. in width, 50×5 threads $= 250$ threads, must be warped.

An experienced weaver can set up a warp for several weaves simultaneously, but otherwise it is wiser only to set up as much as is required for one pattern. The length of the warp is calculated thus: length of weave + remaining length up to the upper cross-beam + approximately 50 cm. to tie with. An ordinary warping mill can be used or one can warp directly on to the loom. *Only one thread* is used in warping and the shed is placed as in ordinary warping. When warping directly on the loom, proceed as follows: Fasten the yarn down at the beam-end *i* or at the ratchet wheel *f,* pass it behind the boom at *j,* forward again in front of the pegs and place the shed between the pegs at *k*. Note that the yarn should here be crossed between two pegs. See Plate 9.

When the required number of threads have been warped, tie for the shed and carefully remove the warp without entangling it. Pass one of the round shed sticks into the lowest shed, and the other round stick into the other shed: then tie the sticks together at the ends so that the yarn cannot slip outside. Then distribute the warp as evenly as possible over the desired width (50 cm. here), place the lower stick with the yarn down into the relevant slot in the cloth beam and tie securely, yet not so tight as to prevent the threads being moved forwards and backwards when required. The *knot,* however, must be a genuine reef knot. Should there be no slot in the cloth beam, the stick must nevertheless be made secure. Fasten the other stick to both uprights and pass the warp up over the uppermost beam, where it is distributed with roughly an equal amount of threads on the warp pegs. The warp must be in the middle of the loom so that, if the latter is 1 metre wide and the warp 50 cm. wide, 25 cm. are left on each side both above and below. Should the pegs be so placed that the distance at the top does not match the distance at the bottom, it is better to let the warp be wider at the top. Superfluous warp pegs can be removed.

When you have distributed the warp evenly over the warp pegs, try to stretch the threads really taut. To do this, you must fasten the stick on to the cloth beam very securely at a further 2 or 3 places, otherwise it will buckle. It must all the time be properly kept down in the slot. The knot round the peg can be made in various ways; the aim is that the entire warp shall be equally taut and give out a ringing sound when the fingers are drawn over it. The best way of achieving this is to make a loop in the bunch of yarn on a level with the peg's attachment on the beam, pass the peg down into the middle of the threads and *work* it down into the hole. Should this proceed too easily, the threads are not sufficiently tensioned (Plate 10). It would also be feasible, for instance, when weaving large picture weaves, to tie large weights to each bunch of threads, but this would become unnecessarily expensive and clumsy when using a smaller loom.

Chaining the warp

In a loom with a horizontal warp the reed keeps all the threads at an equal distance from each other, but in a loom with a vertical warp the chaining produces the same effect. Lay two chains, one approx. 10 cm. above the cloth boom, the other approx. 15 cm. below the upper boom. (This distance also depends on how large a piece of work is to be woven; for a smaller work, the chain can be laid lower down.) For the chain use a fairly coarse yarn, fish net twine 12/6 is suitable; this, if wound double, should allow sufficient space between the warp threads.

Fasten the yarn to the upright at the same height as the chain is to be laid, i.e., 5—10 cm. above the cloth boom. The warp threads now stand in pairs, one before and one behind the shed stick, and the fish net twine is laid in a loop — round the first thread pair (Plate 11), and a loop is drawn through this, just as when crocheting a chain stitch (Plate 12). Lay the new loop round the next thread pair and continue this until all thread pairs are "crocheted in"; then draw the thread through the final loop and stretch it taut to the other upright. In the course of chaining you must constantly check the density with the chain tightly stretched so as to have 24 to 25 pairs of threads on 10 cm., or 12 pairs on 5 cm. If the warp be denser, the weft cannot cover it; if it be more open, the smaller details of the pattern cannot be seen to advantage. The quality of the entire weave to a great extent depends on the chaining being well laid, and it is consequently well worth while to take

Hus vid kanalen. Komp. av Inga Palmgren. 19,7 x 26 cm. Arb.-ritn. nr
Houses on the canal. Pattern

it up and begin it again until the exact density has been ob-
tained over the whole width. When the chain is laid, the warp
should at most be 1 cm. wider than the weave that is to
be made.

After the first chain is laid, lay yet another chain over the
other shed stick, approx. 15 cm. from the upper cross-beam,
d. The loops in this chain should surround the same thread
pairs as in the lower chain, and the threads must stand verti-
cally in the loom. The most convenient way is to take hold of
the thread pair in the lower chain and follow the threads up-
wards, placing the new loop round them. The beginning and
end of the chain must stand exactly above the beginning and
end of the first chain.

Threading

Threading is the most exacting work, even if chaining is more
important for the appearance and quality of the weave.

First stretch some threads of the fish net twine, 6—8 pieces,
along the heddle rod, h, from the blocks, g. Then fasten the
shed stick approx. 15 cm. below the height of the heddle rod
and secure it so that it cannot be moved upwards or down-
wards. Threading is most conveniently performed if a ball of
fish net twine of walnut size is employed. Fasten the yarn
round the rod in the middle of the warp on the right-hand
side. The aim is now to draw a sling round each single warp
thread which lies *behind* the shed stick, and to leave one thread
of those lying *in front of* the shed stick between each sling.
This means that one thread of each thread pair must be free
in front of the shed stick, and the other, which lies behind the
shed stick, lies in a thread sling, with which it can be drawn
forwards. The sling or the thread must however be fastened
so that it does not become longer or shorter when one pulls
on the adjacent heddle, and it must therefore be fastened round
the heddle stick with one or more blanket stitches. Should one
forget to leave a thread between the heddle or leave two threads
alongside each other, an error arises which cannot be rectified
without the entire threading having to be re-done. It must
therefore be done so methodically that it finally proceeds en-
tirely mechanically.

Lead the first thread, which lies in front of the shed stick,
to the right. Insert the ball to the *right* of the first warp thread,

Hamnen. Komp. av Inga Palmgren. 15 x 18 cm. Arbetsritning nr 13.
Scanian harbour. Pattern 13.

which lies *behind* the shed stick, let the ball go behind the thread *below* the shed stick, forward to the left of the thread, tie a blanket stitch on the heddle stick and the six threads that run along it, then a stitch solely round the threads, and finally a blanket stitch on the heddle stick (see Plate 13, 14 and Fig. 1).

Lead the other warp thread, which lies in front of the shed stick, to the right, pass the ball down round the other warp thread behind the shed stick, round the heddle stick, one stitch round the threads, one round the heddle stick, and so on. Continue thus along the whole width, but be extremely careful first to lead the thread which lies *in front of* the shed stick, to the right before you lay the heddle round the thread that lies behind in the same thread pair. When the threading is ready, ease the shed stick and pass it up on a level with the heddle stick. The heddle's sling will then lie 12—15 cm. lower down, which is necessary for drawing out a shed with the slings.

With this the preparations are finished and it is merely a question of once again stretching the warp threads so that all are equally taut and give out a sound like stringed instruments. Check, by hanging a weight or similar object to a string from one of the warp pegs, that the warp hangs absolutely vertically on the loom, and in any case *is not narrower at the top than at the bottom,* for in such a case the weave inevitably becomes too narrow. Possibly it may be allowed to be 1 cm. broader at the top on each side. It is, however, best if it is equally broad although the location of the pegs can sometimes make this impossible.

Weaving

Wind up the yarn on to the bobbins (Fig. 2) and secure it with a running noose. With linen yarn or woollen yarn, weave a small edge right across the warp to which the pattern is attached. Draw the pattern on to the tracing cloth or thin cardboard. Draw the year and monogram *back to front* since the pattern becomes reversed in the weave. Check that the warp is as wide as the pattern, and take away superfluous warp threads. The pattern *is woven sideways* and is placed behind the warp, the reverse side of the weave thus coming up opposite. (The method is sometimes practised of drawing the pattern's outline on the warp with ink or Indian ink, but this

50

is not employed in Scanian tapestry weaving.) The paper pattern is fastened with pins or is tacked down on to the initial border. Check that it is at right angles to the loom.

The one shed is built up merely by the shed stick being inserted in the warp. If it is narrow, it can be twisted horizontally. The other shed arises by pressing down the heddle with the left index finger and long finger at just that spot where you wish to weave, inserting the ringfinger in the shed thus obtained, and with the right hand passing the bobbin into the shed. The weft is laid in *small arches* and with the point of the bobbin is moved downwards and packed down as securely as possible. If the weft is laid stiffly or insufficiently, the warp threads will be very quickly drawn together and it will then be impossible to cover the warp. Consequently, lay the weft loosely without any bubbles, and you will soon learn to get an even and secure surface.

As previously mentioned, the pattern is fastened sideways and the figures woven in a horizontal direction. If the weave has a border or plain surface, this must at the outset be divided up into sections which are woven one after the other, for if one lets the same weft thread go across the entire warp, it will inevitably draw the weave together more tightly than those parts of the pattern that are divided up into small sections.

One can generally begin weaving at several places on the pattern, but the background colour must first be filled in under a flower or figure with a curved contour. This flower or figure can seldom be finished directly without another colour intervening — very soon one realises that the underlying groups must be woven first. See Plate 15. A curved line as in Fig. 3 must not be woven entire from left to right or the reverse, but it must be begun at the bottom at x and woven forwards and backwards once or twice, as much as is required for the line's thickness, in the one direction until the final point of one end of the line is reached, and then we must begin at the bottom again and weave in the other direction. Then fill in the colour, see Pl. 16.

By weaving sideways a number of vertical lines can generally be avoided, but not entirely so. In certain picture weaves the procedure is quite simply to turn back when confronted with a straight line, but in tapestry weave a joining of the lines, called interlocking, is generally employed. All lines going in the warp direction then acquire a saw-tooth appearance which is characteristic of Scanian tapestry weaves.

51

Joining is generally performed thus: when two colours, e. g., green and black, are to be joined vertically, choose a thread that is common to both colour grounds. Here this thread is called a. We now weave three times with each colour, beginning, for instance, with black we turn first round thread a, then round thread c, and the third time round thread a. Next we weave with the green yarn, turning first round thread a, then round thread b, and the third time round thread a. Thus, a long, a short, and a long turn. In Fig. 4 it looks as though considerable spaces would be created between these "teeth", but in reality they are pressed together as in Plates 16 and 17.

If two or more lines run vertically, the same procedure must be followed for all, which is rather a lengthy operation. If it is a very small narrow white contour edge that separates two colour grounds, e.g., black background colour with a red flower on it, it must be interlocked over three warp threads as shown in Fig. 5 and Plate 16. Narrower effects cannot be achieved in a vertical direction. In a horizontal direction, however, no difficulties are generally encountered. An amusing effect can be achieved by colour alternation and "double shuttling", which sometimes occurs in details of dress, bird's wings, and the like. In Plate 18 one has woven every other thread red, every other white, and to get a check pattern one colour has been put in twice at the change-over. (Bird's tail).

Throughout the entire weaving be careful to check that the edges are not drawn in, possibly move the warp somewhat upwards and outwards at the pegs or with a strong thread stretch the sides up to the wooden frame. When you have woven so much that it becomes inconvenient to weave, ease the yarn at all warp pegs, tack the pattern firmly a little way up on the weave and ease it at the lower edge, roll the weave on to the cloth boom, and finally stretch the warp again. Use thin battens or cardboard so that the finished weave does not lie against any hard knots and cords. Once again the importance is stressed of stretching all threads as tightly as possible or else the weave becomes uneven. When working for a long time on the same warp threads, you will find that these easily get loose, and must be stretched again. For weaving proceeds much more rapidly and easily if the threads are not loose.

In the old tapestry weavings the warp is of hand-spun linen yarn, usually right-hand plyed, and the weft of hand-spun, vegetable-dyed woollen yarn, which is most often plyed, i.e., two-thread. Occasionally we find single-spun yarn, and the hair of human figures is often woven in silk and sometimes with real female hair. Little is known of the sheep from which the wool was procured, but it is the long, lustrous fleece-wool which to this very day gives the weavings a vigorous and brilliant surface.

When, at the beginning of the 20th century, tapestry weaving was revived in Scania, no hand-spun yarns were available. Consequently, in order to get the colours that matched the usually bleached front side — at that time considered the most beautiful — a combination of three threads of simple woollen yarn, of relatively undetermined quality, were used.

Nowadays, we endeavour to produce the colours of the original and to get a yarn that resembles as much as possible the hand-spun type both as regards woollen material, dying and spinning. With a weaving procedure as laborious and expensive as tapestry weaving, the yarn must of course be of the highest possible quality, and as the amount of yarn needed is small the price is of only secondary consideration.

It was not until the end of the 1920s that handicraft associations began to realise that the most important factor in hand-weaving was the composition of the wool. It is thanks to Lennart Wåhlstedt of Dalecarlia and his interest in the Swedish native breed of sheep that we are able to obtain from Wåhlstedt's textile workshops — now under the management of Lasse Wåhlstedt — tapestry yarns that are well nigh ideal.

Only the pure and undamaged autumn wool is good enough for tapestry yarn. After washing in soft, mountain-river water the wool is carded and spun on special machines, in which the fleece-wool can be spun without any noteworthy mingling of the duller, soft wool. The yarn must be as "pearly" as possible in the plying in order to invest the weaving with a more lively quality. Nevertheless, it would still be more beautiful to use hand-spun yarn!

Unfortunately, recent research has shown that vegetable-dying is not as sound as one might wish, even if it "bleaches beautifully". Consequently, more modern methods are being adopted, and tapestries are now caledon-dyed, a method that provides beautiful colours in a rich variety of shades and high degrees of purity both as regards resistance to light as well as washing. This dying procedure will soon be adopted by the textile schools, for it is also possible to dye very small quantities of yarn in this manner. The yarn should subsequently be treated for moths.

In copying old weavings the colours should not be changed as the weaving will then lose in character. Nor, according to the new law on the rights of origin, is it allowed to alter the drawing or the colours of new patterns. Those who wish to follow their own fancy should first gain experience by weaving after a definite pattern, subsequently drawing something entirely new according to their own individual wishes.

Bild 21. Ramväv. Frame loom.

TAPESTRY WEAVING
IN A SMALL FRAME LOOM

The large vertical loom is of necessity relatively expensive, and if you will begin with a smaller loom before procuring a larger type, you can perfectly well weave both tapestry weaving as well as Rölakan and other inlay weaves in a stable wooden frame (Plate 19 and 21).

A loom of this kind, for tapestry weaving, exists in a 40×60 cm. size. Inserted in the short ends are a row of tacks in a density suitable for a warp density of 45 threads per 10 cm. Warp with a thread from the tack at one end of the frame to the tack at the other end until a suitable number of threads are obtained. Below lay a chain of fish net twine just as in the large loom, but omit the upper chain and threading. Then pick up alternate threads on a weaving stick so as to get the one shed. Pick up the other shed with the fingers whilst weaving.

Fitted to the frame are a pair of "feet". It can be used as at Plate 21 or 19. Weaving then proceeds just as with the large loom. There is one drawback, namely, that one cannot stretch the warp threads which are loose, but this difficulty is not so great as it would appear since the warp is comparatively short.

Finishing and setting up the weavings

The old tapestry weavings were used as bench and chair covers, as bedspreads and cradle spreads. Nowadays they are hung on walls as decorative pieces or placed on tables. Originally the fringe was never visible; this did not become fashionable until the beginning of the 20th century. A knotted linen fringe is, however, fairly quickly destroyed — drying, fading, getting entangled and worn away even when fastened to a wall.

It is more beautiful to make a firmly knotted border and attach the warp threads to the reverse side.

Place the weaving on the table with the right side up, and stretch one or two warp threads in front of the weaving as in Plate 20. Take the first warp thread to the right and make two half-turns (blanket stitch) round the tightly stretched thread. Pass the knot as closely as possible along the weaving's border. Continue thus with each warp thread until the border is finished. Bend the loose warp-ends towards the reverse side and sew them down with a backstitch so that they show as little as possible. On large weavings it is neatest to sew a woven ribbon over them.

The finished weaving must not be ironed, but if it is uneven it can be stretched as straight as a thread on a table, a drawing-board or the like, with stainless steel drawing-pins. First place a damp cloth on it, then dry face-towels or an ironing cloth, and finally a smooth weight. The following day, remove the towels and let the weaving dry thoroughly before removal.

Bild 22. Sängtäcke från Everlöv. Detalj 30,8 x 39 cm. Medelsvår. Arbetsritning nr 3.
Bedspread from Everlöv. Detail 30.8 x 39 cm. Fairly difficult. Pattern 3.

Bild 23. Motställda fåglar. Detalj 15 x 17 cm. Lätt. Arbetsritning nr 16.
Two birds. Detail 15 x 17 cm. Easy. Pattern 16.

58

Bild 24. Trolovningen. Detalj, 22,6 x 32,2 cm. Lätt. Arbetsritning nr 15.
The betrothal. Detail, 22.6 x 32.2. Easy. Pattern 15.

Bild 25. Fåglar och krukor i krans. Detalj, 34,8 × 46 cm. Medelsvår. Arbetsritning nr 7.
Birds in a wreath. Detail, 34.8 × 46 cm. Fairly difficult. Pattern 7.

60

Bild 26. Den innelyckta fågeln. Detalj, 30×41,5 cm. Lätt att väva. Arbetsritning nr 2.
Captive bird. Detail, 30×41.5 cm. Easy to weave. Pattern 2.

61

Bild 27. Papegoja i krans. Detalj, 25,3 x 32 cm. Arbetsam. Arbetsritning nr 6.
Parrot in a wreath. Detail, 25.3 x 32 cm. Difficult. Pattern 6.

62

Bild 28. Blå enhörning. Detalj, 39,5 x 30 cm. Medelsvår att väva. Arbetsritning nr 1.
Blue unicorn. Detail, 39.5 x 30 cm. Fairly difficult. Pattern 1.

63

Bild 29. *Lejon i krans. Detalj, förminskad, 14,5 × 18,4 cm. Lätt. Arbetsritning nr 10.*
Lion in a wreath. Detail, 14.5 × 18.4 cm. Easy. Pattern 10.

64

Bild 30. Detalj ur blomsterkrans 14,6 x 18,4 cm. Svår. Arbetsritning nr 17.
Flowers, 14.6 x 18.4 cm. Difficult. Pattern 17.

65

Bild 31. Vaggtäcke från Everlöv, detalj ur bården, 14,5 x 19,5 cm. Ganska lätt.
Arbetsritning nr 9. Detail from cradle spread, 14.5 x 19.5 cm. Easy. Pattern 9.

66

Bild 32. Blomsterurna med fåglar. Detalj, 31,5 x 39,7 cm. Ganska lätt. Arbetsritning nr 8.
Flowerpot. Detail, 31.5 x 39.7 cm. Fairly easy. Pattern 8.

67

Bild 33. Detalj, 27,8 × 35,5 cm ur åkdyna med urnor. Ganska lätt.
(Ingen färgbild.) Arbetsritning nr 4. Birds and flowers. (No colourplate.) Fairly easy.
Detail 27.8 × 35.5 cm. Pattern 4.

68